Arthur Honegger

SONATINE
H 42
pour clarinette en la & piano

ÉDITIONS SALABERT

INTRODUCTION
Pierre Génisson

Arthur Honegger est un compositeur inclassable et totalement singulier dans le paysage musical français.

Aussi bien à l'aise dans l'univers de l'opéra, du ballet, du quatuor à cordes ou encore de la musique de films, son style pourrait être une parfaite synthèse de diverses influences, tant germaniques (Bach, Beethoven, Reger), que françaises (Debussy, Fauré, Schmitt). Dans un désir de perpétuel renouvellement et curieux des différentes approches qui l'entouraient, il s'intéressait également au travail de ses pairs tels Stravinsky sur le plan rythmique ou encore le charme mélodique de Poulenc (membre comme lui du Groupe des Six, fondé par Jean Cocteau).

Sa *Sonatine* H.42 pour clarinette en *la*, d'un format très court, est composée entre 1921 et 1922.

Le premier mouvement, **Modéré**, de texture brumeuse, fait converser les deux instruments dans un flot discontinu avant un bref *fugato*.

Le second mouvement, **Lent et soutenu**, expose un large thème lyrique qui avance inexorablement avec poids à la clarinette. Le final, enfin, **Vif et rythmique**, est une évocation jazzy décomplexée.

Arthur Honegger remains an unclassifiable composer, totally unique as far as the French musical landscape is concerned.

Equally at ease in the domains of string quartets, opera, ballet, or film music, his style can be considered the perfect synthesis of a variety of influences, as much Germanic (such as Bach, Beethoven of Reger) as French (Debussy, Fauré, and Schmitt). As part of a desire for perpetual change and innovation, and a curiosity about the different approaches around him, he showed great interest in the works of his peers, for example, Stravinsky on a rhythmic level, or the melodic charm of Poulenc (who was a member, like himself, of the Groupe des Six *founded by Jean Cocteau).*

His Sonatine H.42 *for clarinet in A, very compact, was composed between 1921 and 1922.*

The first movement, the misty textured **Modéré***, has two instruments conversing in a halting flow before a brief* fugato.

The second movement, **Lent et soutenu***, presents a broad lyrical theme that moves inexorably forward with weight on the clarinet. The final movement,* **Vif et rythmique***, is an unabashedly jazzy evocation.*

SONATINE
H 42
pour clarinette en la & piano

Arthur Honegger

I

EAS 20517

C

D

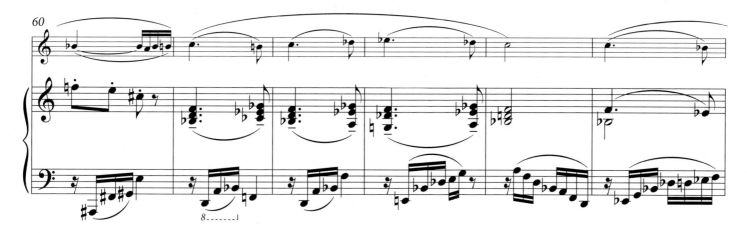

Zurich, juillet 1922

II

Lent et soutenu

Arthur Honegger

SONATINE
H 42
pour clarinette en la & piano

Clarinette en la

ÉDITIONS SALABERT

SONATINE
H 42
pour clarinette en la & piano

Arthur Honegger

I

EAS 20517

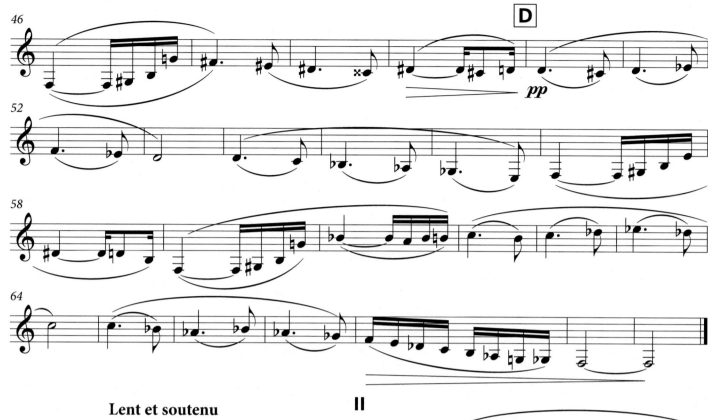

Vif et rythmique

III

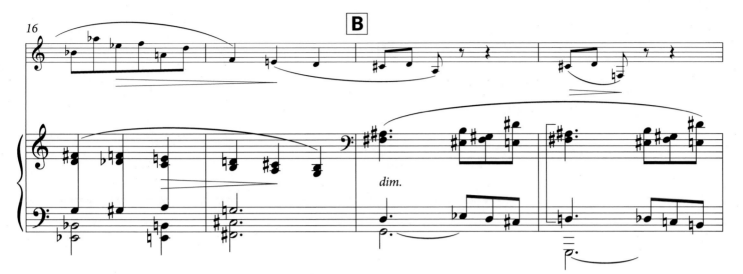

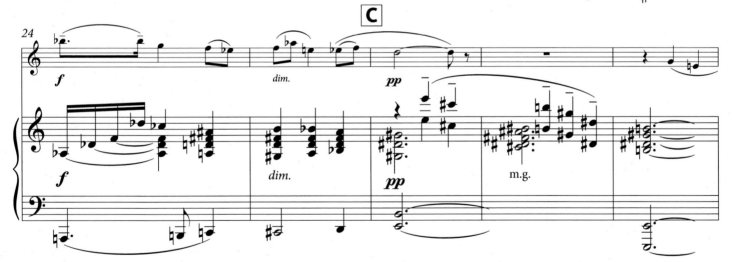

Zurich, octobre 1921

III

Vif et rythmique

Paris, novembre 1921